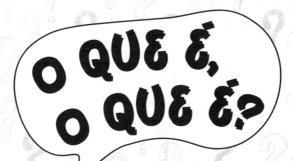

CÚMULOS

CÚMULOS

1. Qual o cúmulo da higiene pessoal?
2. Qual o cúmulo do infinito?
3. Qual é o cúmulo da fome?
4. **Qual o cúmulo da eletricidade?**
5. Qual é o cúmulo da burrice?
6. Qual é o cúmulo da revolta?
7. Qual o cúmulo da força?

RESPOSTAS: 1. Lavar a alma. 2. Contar os degraus da escada rolante. 3. Passar em frente a um restaurante e ver uma placa na qual está escrito: "Fechado para almoço". 4. Levar um choque ao receber uma alta conta de luz. 5. Abrir a caneta para ver de onde saem as letras. 6. Morar sozinho e fugir de casa! 7. Cortar uma rua e dobrar a esquina.

CÚMULOS

8. Qual é o cúmulo do regime?

9. Qual o cúmulo do astronauta distraído?

10. **Qual é o cúmulo de atenção para um cuidador de jardim zoológico?**

11. Qual é o cúmulo da sorte?

12. Qual é o cúmulo da estupidez?

13. Qual é o cúmulo da lentidão?

14. Qual é outro cúmulo da sorte?

RESPOSTAS: 8. Tomar caldo de cana com adoçante. 9. Bater em outra nave e dizer que o acidente ocorreu por falta de espaço. 10. Enxugar as lágrimas de crocodilos. 11. A morte bater à porta, e o sujeito não estar em casa. 12. Dois carecas brigando por um pente. 13. Correr sozinho e chegar em segundo. 14. Ser atropelado por uma ambulância.

CÚMULOS

15. Qual é outro cúmulo da burrice?

16. Qual é o cúmulo da rapidez?

17. Qual é o cúmulo da sede?

18. Qual é o cúmulo da velocidade?

19. Qual é o cúmulo da gentileza?

20. Qual é o cúmulo da lerdeza?

21. Qual o cúmulo da paciência?

RESPOSTAS: 15. Dar rasteira em cobra. 16. Trancar a gaveta com a chave dentro. 17. Tomar um ônibus. 18. Dar a volta na mesa e pegar a si mesmo. 19. Fazer continência para o cabo da vassoura. 20. Assistir à corrida de lesmas em câmera lenta. 21. Esperar encher um balde furado em uma torneira entupida.

CÚMULOS

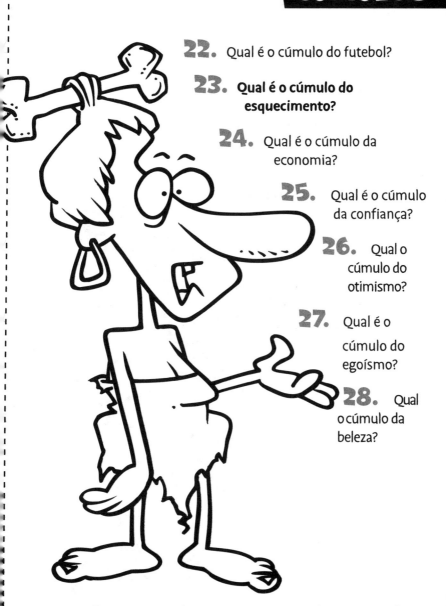

22. Qual é o cúmulo do futebol?

23. Qual é o cúmulo do esquecimento?

24. Qual é o cúmulo da economia?

25. Qual é o cúmulo da confiança?

26. Qual o cúmulo do otimismo?

27. Qual é o cúmulo do egoísmo?

28. Qual o cúmulo da beleza?

RESPOSTAS: 22. Chutar para o gol e acertar o Golf. 23. Não sei, me esqueci. 24. Tirar cera do ouvido e passar no chão. 25. Jogar pega-varetas (palitinho) pelo telefone. 26. Pedir uma ostra no restaurante com intenção de pagar a conta com a pérola de dentro dela. 27. Sei eu sei. Não conto. 28. Comer flores para enfeitar os vasos sanguíneos.

CÚMULOS

29. Qual o cúmulo da traição?

30. Qual é o cúmulo da nulidade?

31. Qual é o cúmulo da inteligência?

32. Qual é o cúmulo da amnésia?

33. Qual é o cúmulo da ignorância?

34. Qual é o cúmulo da maldade?

35. Qual é o cúmulo do exagero?

RESPOSTAS: 29. Ser golpeado pela própria sombra. 30. Ser reserva de gandula. 31. Querer comer sopa de letrinhas. 32. Não consigo me lembrar... 33. Não sei. 34. Vender cobertor furado para o frio. 35. Querer passar manteiga no Pão de Açúcar.

CÚMULOS

36. Qual é o cúmulo da vaidade?

37. Qual é o cúmulo da distração?

38. Qual é o cúmulo do basquete?

39. Qual é o cúmulo da curiosidade?

40. Qual é o cúmulo do absurdo?

41. Qual o cúmulo da ventania?

RESPOSTAS: 36. Engolir um batom para passar na boca do estômago. 37. Comer o guardanapo e limpar a cara com o bife. 38. Jogar a bola na cesta e ela cair no sábado. 39. Amanhã eu te conto. 40. Peixe com sede. 41. Apagar o feixe de luz de uma lanterna.

CÚMULOS

42. Qual é o cúmulo do azar?

43. Qual é outro cúmulo da distração?

44. Qual o cúmulo da gula?

45. Qual é o cúmulo da paciência?

46. Qual é o cúmulo da dor?

47. Qual é o cúmulo da força?

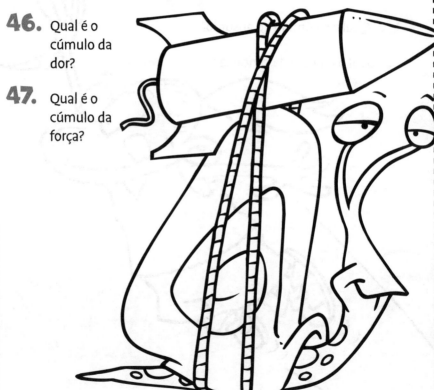

RESPOSTAS: **42.** Ser o único a comprar uma rifa e não ser sorteado. **43.** Tomar conta de duas lesmas e deixar uma escapar. **44.** Comer todo o Pão de Açúcar. **45.** Vomitar de canudinho. **46.** Escorregar num tobogã de gilete e cair numa bacia de álcool. **47.** Apertar uma moeda até a cara botar a língua para fora.

CÚMULOS

48. Qual o cúmulo para um livro de mistério?

49. Qual é o cúmulo do egoísmo?

50. Qual é o cúmulo do cavaleiro?

51. Qual é o cúmulo da habilidade?

52. Qual é o cúmulo da lerdeza?

53. Qual é o cúmulo da procrastinação?

RESPOSTAS: 48. Ter a solução escrita na capa. 49. Não querer dividir nem os prejuízos. 50. Comer filé a cavalo. 51. Digitar com luvas de boxe. 52. Querer prender duas tartarugas dentro de uma jaula e deixar as duas fugirem. 53. Depois te falo...

CÚMULOS

54. Qual é o cúmulo da coincidência?

55. Qual é o cúmulo do crime misterioso?

56. Qual o cúmulo da campanha de vacinação?

57. Qual é o cúmulo do professor de geografia?

58. Qual é o cúmulo para um policial?

59. Qual é o cúmulo do crime escolar?

60. Qual é o cúmulo da paciência?

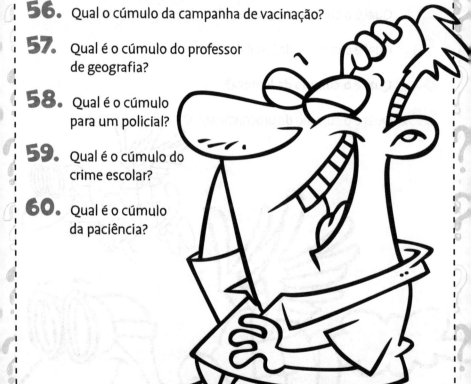

RESPOSTAS: 54. Ser marceneiro e ter "cara de pau". 55. Matar uma charada. 56. Vacinar um braço de rio. 57. Um rio seguir seu curso. 58. Perder no jogo sendo roubado. 59. Matar uma aula. 60. Limpar a orelha do elefante com um cotonete.

CÚMULOS

61. Qual é o cúmulo da tristeza?

62. Qual é o cúmulo da liberdade?

63. Qual é o cúmulo da deslealdade?

64. Qual é o cúmulo da preguiça?

65. Qual é o cúmulo da contravenção?

66. Qual é o cúmulo do desperdício?

67. Qual é o cúmulo do Titanic?

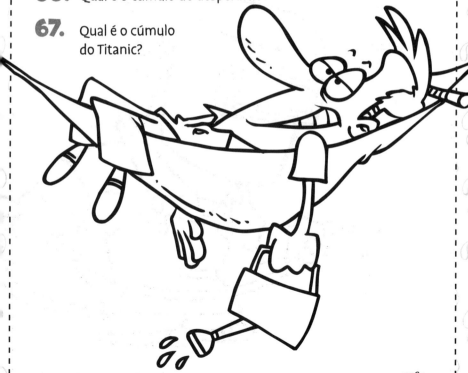

RESPOSTAS: 61. Chorar a morte da bezerra sobre o leite derramado. 62. Livrar a cara. 63. Trair um cão, o seu melhor amigo. 64. Deitar numa rede e pedir que o vento balance. 65. Roubar o tempo. 66. Jogar conversa fora. 67. Quebrar o gelo.

CÚMULOS

68. Qual é o cúmulo para um funileiro?

69. Qual é o cúmulo dos trabalhos manuais?

70. Qual é o cúmulo do medo?

71. Qual é o cúmulo da paciência?

72. Qual é outro cúmulo da paciência?

73. Qual é o cúmulo do orgulho?

74. Qual é o cúmulo da busca?

RESPOSTAS: 68. O filho ser soldado. 69. Tricotar com a linha do trem. 70. Se assustar com a própria sombra. 71. Contar os degraus da escada rolante. 72. Comer sopa de letrinhas em ordem alfabética. 73. Tentar subir na vida usando um foguete. 74. Procurar encrenca.

CÚMULOS

75. Qual o cúmulo da lentidão?

76. Qual o cúmulo do engano?

77. Qual o cúmulo da matemática?

78. Qual é outro cúmulo da distração?

79. Qual é o cúmulo da maldade?

80. Qual é o cúmulo do crime?

RESPOSTAS: 75. Assistir à corrida da uma lesma contra uma tartaruga em câmera lenta. 76. Uma minhoca entrar numa macarronada pensando que é uma festa. 77. Procurar uma raiz quadrada em um vaso de planta. 78. Querer saber o que está acontecendo dentro de uma sala e olhar pelo buraco da fechadura, sendo que a porta é toda de vidro transparente. 79. Colocar alguém de castigo em um quarto redondo e mandá-lo ficar quieto no cantinho! 80. Matar o tempo.

CÚMULOS

81. Qual é o cúmulo da altura?

82. Qual é o cúmulo do futebol?

83. Qual é o cúmulo da miudez?

84. Qual é o cúmulo da rapidez?

85. Qual é o cúmulo da falta de memória?

86. Qual o cúmulo da incompetência?

87. Qual é o cúmulo da preguiça?

RESPOSTAS: 81. Um tipo tão alto, tão alto que é preciso subir numa escada para apertar o nó de sua gravata. 82. Chutar a bola no Gol e acertar o Corsa. 83. Um homem se sentar numa moeda e ainda balançar as pernas. 84. Ir ao enterro de um parente e ainda encontrá-lo vivo! 85. Esqueci.... 86. Tentar consertar o que não tem conserto. 87. Acordar mais cedo para ficar mais tempo sem fazer nada.

CÚMULOS

88. Qual o cúmulo da dificuldade?

89. Qual o cúmulo da mesquinharia?

90. Qual é o cúmulo do ferreiro?

91. Qual é o cúmulo do trabalho inútil?

92. Qual o cúmulo da vaidade?

93. Qual o cúmulo da astronomia?

94. **Qual o cúmulo do heroísmo?**

RESPOSTAS: 88. Enxugar gelo. 89. Dar esmola e pedir troco. 90. Fazer ferro-velho. 91. Enxugar gelo no Polo Norte. 92. Tirar *selfie* com um espelho. 93. Ver estrelas no céu da boca. 94. Apagar um fósforo com um extintor.

CÚMULOS

95. Qual o cúmulo da cirurgia de oftalmologia?

96. Qual o cúmulo da pontaria?

97. Qual o cúmulo da matemática?

98. Qual o cúmulo da solidão?

99. Qual o cúmulo da economia?

100. Qual o cúmulo da limpeza?

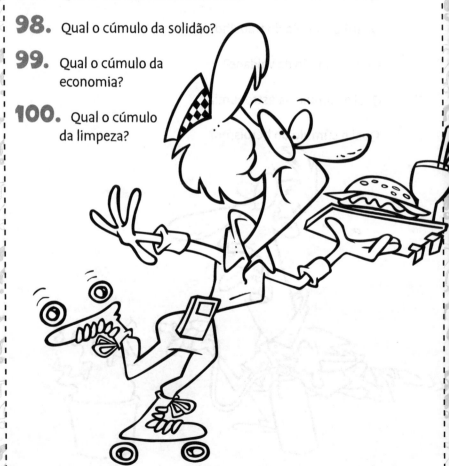

RESPOSTAS: 95. Operar a catarata de Foz do Iguaçu. 96. Atirar uma pedra no chão e errar. 97. Pedir um X-burguer, comer o burguer e calcular o X. 98. Dar "boa noite" ao apresentador de TV. 99. Usar papel higiênico dos dois lados. 100. Aspirar o pó das estrelas.